Einojuhani Rautavaara

DIE ERSTE ELEGIE

für gemischten Chor / for mixed choir

(1993)

(Rainer Maria Rilke)

104

Chorus
SARJA
SERIES

FENNICA
GEHRMAN

Cover print: Winged Hero by Paul Klee, 1905 (detail)

Music drawn by Maija Ödner
Cover design by Marja Arvola and Pirkko Huttunen

This score was produced with support
from the Foundation for the Promotion of Finnish Music (LUSES)

Printed by Painojussit Oy, Kerava 2011

Einojuhani Rautavaara
DIE ERSTE ELEGIE
(1993)

Die Begegnung mit Rainer Maria Rilkes Lyrik war für mich eine große literarische, ja weltanschauliche Entdeckung meiner Jugendjahre. In meinem Geiste verbindet sie sich immer noch mit der nachkriegszeitlichen Ruinenmystik in Wien. Dort komponierte ich schon die Sonette an Orpheus und zwei Jahre später begann ich in Köln den Liederzyklus *Die Liebenden*. Aber seit jener Zeit trage ich in mir und in meinem Koffer auch die Duineser Elegien, Rilkes Hauptwerk. Im Laufe der Jahrzehnte nahm ich es hin und wieder hervor – besonders die erste Elegie, deren Engel mir so etwas wie eine Animus-Gestalt geworden ist. Die Orchesterkompositionen *Angels and Visitations, Angel of Dusk* und *Playgrounds for Angels* sind seine Personifizierungen.

Aber erst 1993, als der internationale Sängerbund Europa Cantat von mir eine größere Komposition bestellen wollte, schien der Augenblick der Engelelegie gekommen. Sie hatte sich offensichtlich während der Wartezeit im Unterbewußtsein entwickelt, denn die Kompositionsarbeit ging schnell, angeregt und sicher vonstatten. Der Ausgangspunkt für das Tonmaterial der Musik war eine aus vier Dreiklängen gebildete Zwölftonreihe, die jedoch in ganz anderer Weise behandelt wurde, als es die Regeln der atonalen Technik verlangen. So ist der Ton auch in seiner Dramatik weich, poetisch, ausdrucksvoll.

Einojuhani Rautavaara
Übers. Heinrich Bremer

Einojuhani Rautavaara
DIE ERSTE ELEGIE
(1993)

My youthful encounter with the poetry of Rainer Maria Rilke turned out to be quite a discovery, not only in literary terms but also for the development of my world view. I still associate it strongly with the mysticism surrounding the ruins of post-war Vienna. It was there that I composed my *Fünf Sonette an Orpheus,* and two years later in Cologne I started writing the song cycle *Die Liebenden* to Rilke's texts. From that time onwards I continued to carry with me – both mentally and in my suitcase – the Duino Elegies, Rilke's seminal work. Over the years I would take it out, finding myself particularly drawn to the first elegy, whose angel figure took on the role of a personal 'animus'. My orchestral works *Angels and Visitations, Angel of Dusk* and *Playgrounds for Angels* are all musical personifications of this figure.

Only as recently as 1993, however, when the international choral body 'Europa Cantat' wanted to commission a large-scale choral work from me, did I feel that the time had come to set of angel elegy. It had evidently matured in my subconscious in the interim, since the process of composing the work was swift, eager and fluently self-assured. The basic pitch material is derived from four triads which together form a twelve-note row. The way this material is applied, however, stands in considerable contrast to methods usually used for atonal music. In consequence, the tone of the work is mellow even at its most dramatic; poetic, yet expressive.

Einojuhani Rautavaara
Translation Andrew Bentley

Einojuhani Rautavaara
DIE ERSTE ELEGIE
(1993)

Rainer Maria Rilken runouden kohtaaminen oli minulle nuoruusvuosien suuri kirjallinen, jopa maailmankatsomuksellinen löytö. Mielessäni se yhä assosioituu sodanjälkeisen Wienin rauniomystiikkaan. Siellä jo sävelsin Rilken Orfeus-sonetteja ja pari vuotta myöhemmin Kölnissä aloitin laulusarjaa *Die Liebenden*. Mutta noista ajoista lähtien kannoin mielessäni ja matkalaukussani myös Duinon Elegioita, Rilken pääteosta. Vuosikymmenien varrella otin sen silloin tällöin esille – varsinkin ensimmäisen elegian, jonka Enkelistä tuli minulle eräänlainen animushahmo. Orkesterisävellykset *Angels and Visitations, Angel of Dusk* ja *Playgrounds for Angels* olivat sen henkilöitymiä.

Mutta vasta 1993, kun kansainvälinen kuoroliitto 'Europa Cantat' halusi tilata laajan sävellyksen, tuntui enkelielegian hetki tulleen. Se oli ilmiselvästi odotusaikana jo kehittynyt alitajunnassa, sillä sävellystyö oli nopeaa, innostunutta ja varmaa. Musiikin sävelmateriaalin lähtökohtana oli neljästä kolmisoinnusta muodostunut 12-sävelrivi, jota kuitenkin käytettiin aivan eri tavalla kuin atonaalisessa tekniikassa on sääntönä. Niinpä sävy on dramaattisenakin pehmeä, runollinen, ilmaiseva.

Einojuhani Rautavaara

THE FIRST ELEGY

Who among the host of angels would hear me,
were I to cry out? And serenely yet,
were one of them to clasp me to his bosom,
I would be lost to his stronger presence. The beautiful
is but the start of the terror which we can barely endure,
and we admire it, for it refrains from destroying us.
Each and every angel is terrifying.

Alas, to whom should we turn in our need?
Not angels then, nor men either,
and even canny animals realise that we are not
so secure in the interpreted world.
There only remains a tree on the slope, perhaps,
to be encountered daily,
and the street of yesterday.

Ah, and the night, when the wind which fills the firmament
rushes against the face. Whom would it leave untouched,
that hankered-after night, gentle yet treacherous,
which painfully waits on the lonely heart?

Indeed, the springtimes had need of you.
Many stars beckoned you to seek them out.
A wave swelled up from the past,
or when you passed by an open window:
a violin surrendered to your ear.

Voices, voices. Hear, my heart,
as only The hallowed may hear: those
whom the gargantuan cry wrenched up from the bedrock.
A whine reaches you, emanating from the young dead.

Certainly it is strange to no longer inhabit the earth,
to have forsaken the customs one learnt only yesterday:
not to see roses nor other tokens of promise
which lend meaning to man's future;
to discard one's name like a broken toy,
to see all formerly related things flutter loosely in space.

But the living fall foul of making too forceful a distinction.
The angels (so it is said) often do not know
whether it is the dead or the living among whom they pass.
The eternal stream flows through both domains,
sucking all with it, their voices drowned in its roar.

Is it a wasted tale, the one which tells of music's birth
midst the mourning for Linos?
Music, which was first to boldly penetrate the numbness,
first into that bewildered room from which
the almost godly youth had suddenly stepped into eternity,
the emptiness touched by those same vibrations
which now appeal to us, support us, give us succour.

Rainer Maria Rilke
Translation Andrew Bentley

ENSIMMÄINEN ELEGIA

Ken, jos huutaisin, kuulisikaan minut joukoista
enkelien? Ja, tyynesti vain joku heistä jos
syliinsä minut painaisi, niin menehtyisin
hänen vahvempaan olevuuteensa. Kauneus
on vain kauhean alku, vielä kestettävissä,
ja sitä ihailemme, koska se tyynesti luopuu
meidät tuhoamasta. Kauhea on joka enkeli.

Voi, kenen puoleen siis? Enkelin ei,
ei ihmisenkään, ja ovelat eläimet kyllä
sen pian huomaavat, ettemme suinkaan niin
luotettavasti olleetkaan kotonamme,
ja selvillä maailmasta. Jää kenties
vain joku rinteellä puu, jonka päivittäin
taas kohtaamme; jää katu eilinen.

Oi ja yö, yö jolloin avaruudentäysi tuuli
kasvoihin syöpyy — kenelle ei se jäisi,
tuo kaivattu, hellästi petollinen,
joka yksinäiselle on edessä, tuskallisesti.

Vaan kevääthän sinut tarvitsevat. Nuo niin monet
tähdet, odottamassa että ne etsit. Tai
menneestä kohosi aalto, tai kun kuljit
avatun ikkunan ohi ja alttiiksi antautui
viulun ääni.

Ääniä, ääniä. Sydämeni, kuule niinkuin
muuten vain pyhät kuulivat: heidät valtava
huuto kohotti maasta. Ja nousee humina
noista nuorina kuolleista, sinulle saakka.

Outoa täytyy sen olla, ettei enää asu maassa,
ei tapoja, tuskin opittuja, enää käytä,
ruusuille ei, tai muille lupauksille
merkitystä voi antaa ihmisen tulevaisuuden;
ja nimensäkin pois heittää kuin särkyneen leikin.
Nähdä kaiken noin irrallaan tilassa lepattavan.

Mutta elävät tekevät kaikki sen virheen,
että he liian jyrkästi erottavat.
Enkelit (sanotaan) eivät useinkaan tiedä,
käyvätkö keskellä elävien, vai kuolleidenko.
Ikuinen virta kulkee lävitse kummankin
alueen, tempaa mukaansa jokaisen
ikäkauden, kohinaansa ne hukuttaen.

Turhaako tarua siis, että kerran kun Linosta
valitettiin, musiikki ensimmäinen
uskalias läpi kuivuneen jähmeän tunkeutui
niin että kauhistunut tila, josta tuo
nuorukainen, jumalallinen melkein,
oli äkkiä pois ikuisuuteen astunut,
tyhjänä jäi siihen värähtelyyn, joka meitä nyt
kiehtoo, auttaa ja lohduttaa.

Rainer Maria Rilke
Suom. Einojuhani Rautavaara

Im Auftrag von Europa Cantat

Die erste Elegie

von Rainer Maria Rilke

EINOJUHANI RAUTAVAARA, 1993

1

3

4

5

7

8